Mira las formas con Gato Galano*

escrito e ilustrado por Donald Charles

Traductora: Lada Josefa Kratky

Consultante: Dr. Orlando Martinez-Miller

*Antiguamente titulado "Gato Galano se asoma"

CHILDRENS PRESS, CI

para c.w.m.

Library of Congress Cataloging-in-Publication Data

Charles, Donald.
Mira las formas con Gato Galano.

Traducción de: Calico Cat looks at shapes.
Resumen: El texto y las ilustraciones presentan varias formas.
[1. Tamaño y forma—Ficción] I. Título.
PZ7.C374Cal [E] 75-12947
ISBN 0-516-33436-9 Library Bound
ISBN 0-516-53436-X Paperbound

Childrens Press®, Chicago

Printed in the United States of America.
4 5 6 7 8 9 10 R 97 96 95 94 93 92 91 90

T 20483

Mira las formas con Gato Galano

caja cuadrada

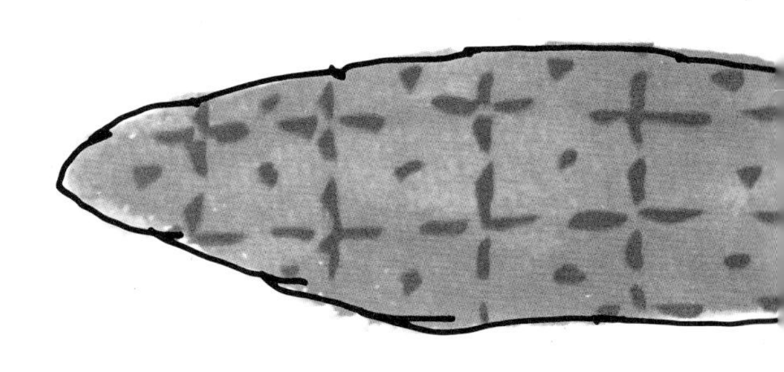

cuadrados
en la acera

rectángulos
en las
ventanas

rectángulos en
los escalones

círculos en el agua

un círculo de piedras

triángulos en
los dientes

triángulos en
los conos

mitades de círculos

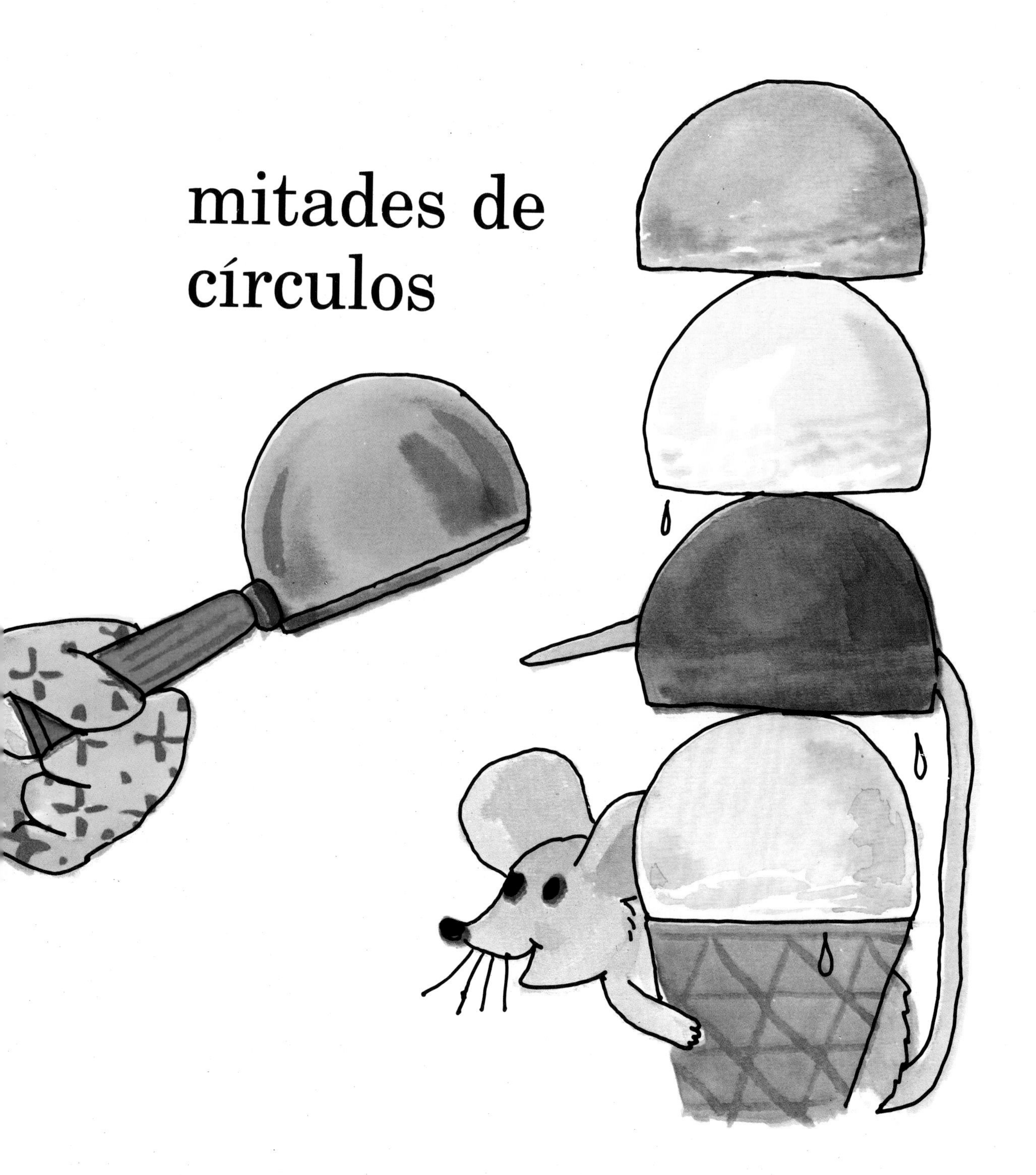

un óvalo en el globo

gotas en forma de pétalos

una luna en forma
de creciente

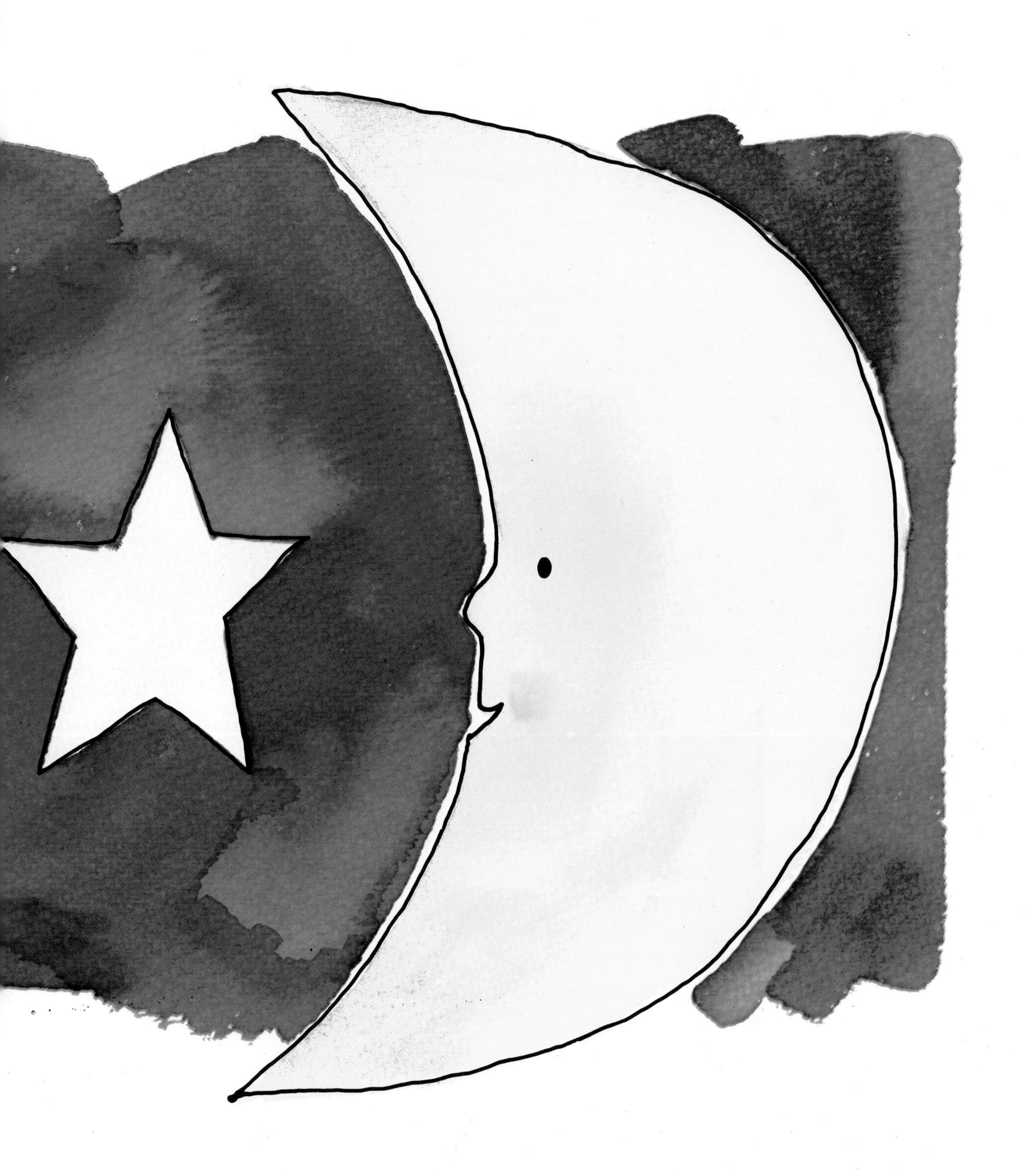

asómate y mira bien

Gato Galano
conoce las formas.
¿Y tú?

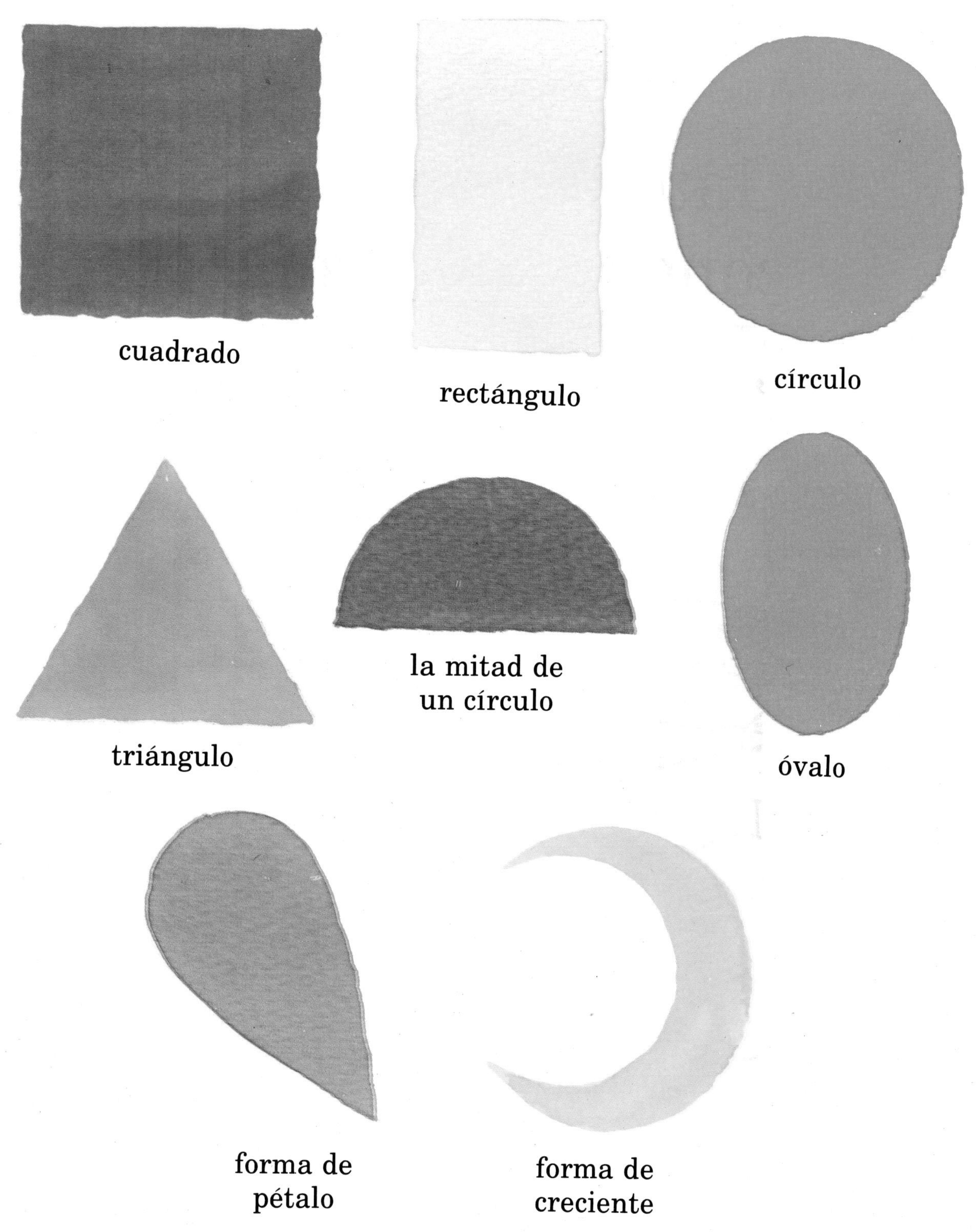
cuadrado
rectángulo
círculo
triángulo
la mitad de
un círculo
óvalo
forma de
pétalo
forma de
creciente

Sobre el artista: Donald Charles empezó su larga carrera de artista y autor hace más de veinticinco años después de asistir a la universidad de California y la Art League School de California. Empezó escribiendo e ilustrando artículos para el *San Francisco Chronicle*, y también vendió caricaturas e ideas a las revistas *The New Yorker* y *Cosmopolitan*. Desde entonces, ha sido, en diferentes tiempos, estibador, vaquero, conductor de camión y editor de un periódico semanal, todas experiencias que enriquecen a un autor y artista. Finalmente, llegó a ser director creativo de una agencia de publicidad, una posición que renunció hace varios años para dedicarse completamente a ilustrar libros y a escribir. El Sr. Charles ha recibido condecoraciones frecuentes de parte de sociedades gráficas, y su trabajo ha aparecido en numerosos libros de texto y revistas. El y su esposa artista han restaurado una casa de madera de fines del siglo pasado en Chicago, donde viven con sus tres hijos.